寄生獸

기생수

6

contents 애장판

작은 가족①

그 전날밤.

그럼….
다음은
그 탐정인데….

한 사람만 가도
충분할 거야.

와시시시….

그런데 오른팔만
기생수인
인간은?

내가 가겠어.

불이야—!!

내일 「미기」가
쫓아가기로
했어.

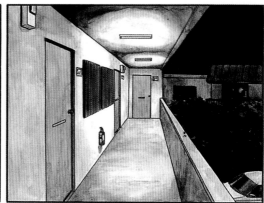

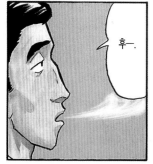

후ㅡ.

응….

아… 여보.
방에
담배 있어…?

아… 잠깐
여보….

햄 좀 사 와….

편의점에 갈 거면
가는 길에
식빵이랑
달걀이랑…
그리고…

없어ー.

그려ー.

집을 비운 건
고작해야
15분이었습니다!

시간으로
따지면
겨우 15분…

난 뭘 좀
사러갔다
오는 길인데…

예?
소리라니….

뭡니까?!
방금 그 소리는!

아!
쿠라모리
씨!

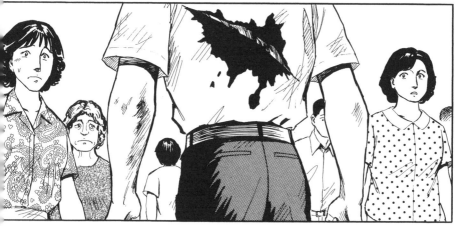

음~.
흰옷에
진흙과 피라….
이 꼴로는 확실히
너무 눈에 띄어.

싸움이라도
했나….

세상에!
뭐예요,
쟤는?

후—
피곤하다….

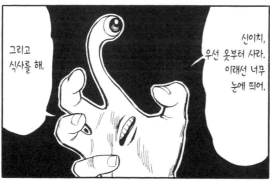

그리고
식사를 해.

신이치,
우선 옷부터 사라.
이래선 너무
눈에 띄어.

신이치.

뭐… 뭐야?
그게…?

하하—.
그러고 싶지만
돈이 없어.

…… ……
…… ……

아까 시장통에서
많은 사람들을
스쳐 지나 왔지?

뭐 이런 게 다 있어!
잠긴 문을 따질 않나,
소매치기를
하질 않나?!

으아아아….
마, 마침내
도둑질까지…!!

으아~?!
설마 너!

응.

그래도
내 손이라구!!

팔딱
팔딱

난 인간이 아니니까,
인간이 만든 법률이니
도덕을 들먹이면
곤란해.

내가 살기 위해
내가 한 짓이야.

말도
안 되는
소리 마!

신이치,
목숨이
왔다갔다 하는 판에
사소한 거 가지고
고민하지 말자.

그래…

알겠어? 너와 나는 협력관계이긴 하지만 어디까지나 종이 다른 생명체다.
각각의 종이 갖는 성질을 되도록 존경하고,
자기측의 이념을 강요하는 것은 최대한 피해야 한다고 생각해.
그런 후, 우리의 공동 목표가 무엇인지 생각해 봐.
그건 우선 「살아남는」 거야. 안 그래?

그래.

도둑질인데?

하
지
만…

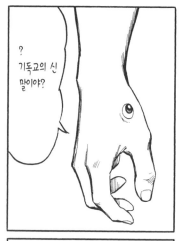

?
기독교의 신 말이야?

......

하느님…
부디 용서해 주세요.

—또한 피살된 쿠리모리 씨의 부인 요코 씨와 초등학교 3학년인 딸 유미 양은 둘 다 일본도 같은 흉기로 전신이 난자당해 있었습니다.

후— 어쨌거나 배는 채웠고.

定食 680
定食

쩝쩝 쩝쩝

악극 악극

—살해방법이 극히 잔인한 점으로 미루어 경찰에서는 쿠라모리 일가에 깊은 원한을 가진 자의 범행으로 보고 있으며—.

쿠라모리 라면….

—또한 쿠라모리 씨가 운영하는 흥신소가 그날밤 방화로 추정되는 화재로 전소된 사건이 이와 관련되어 있는지 등을 파악하기 위해 쿠라모리 씨를 소환, 참고인 진술을 받고 있습니다.

그 쿠라모리 씨?!

마누라랑 애가 있어서.

가… 가족까지…. 사무소와 집….

다음 뉴스—. 서… 설마.

집에
연락해야 돼!!

집....

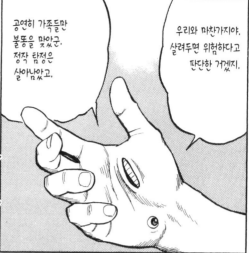

공연히 가족들만
불똥을 맞았군.
정작 탐정은
살아남았고.

우리와 마찬가지야.
살려두면 위험하다고
판단한 거겠지.

집에
처들어오지
않을 리 없어!

나를 노리고
학교까지 찾아온
놈이다!

집에·있으면
위험해!!

아버지가
집에…!

기다려, 아버지한테 어떻게 설명할 거지?

…신이치는 아직 안 왔나….

쿠악

…어떻게든 잘 설명해 볼게.

다 말할 수는 없어. 그리고 지금 아버지와 합류해선 안 돼. 내 행동이 제한되니까.

그 놈들이 내 목숨을 노리니까 집에 있으면 위험하다고 말해야지.

어떻게 라니…

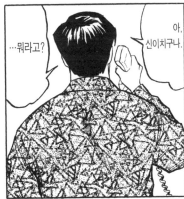

…뭐라고?

아, 신이치구나.

찌르르르릉

!

아버지, 잘 들어요….
언젠가 아버지가
얘기하던 괴물….

뭐야?!
신이치!
뭐가
어떻다고?!

오늘…
그놈한테
쫓기는
바람에…

지금 좀
먼 곳에
와 있어요.

그래서
신이치, 넌…?

정체를 안다고?
틀림없니?!

정말이에요….
내가 그놈의 정체를
알게 돼서…
날 쫓아왔어요.

괴로워 하는군….

도망치다가 수첩을 떨어뜨렸는데 그놈이 그걸 본 것 같아서….

우리집 주소가….

난 괜찮아요! 간신히 도망치긴 했는데 그…

아무튼 당장 집으로 와!

신이치! …이해가 안 가는구나.

예?! 여긴, 여긴… 설명하기 좀 힘들어서….

신이치, 지금 어디 있니? 거긴 어디냐?

그러니까 어서 집에서 나와요! 가정부 아주머니도 며칠 쉬라고 하고!

안 돼요!! 아버지! 그 집이 위험하다구요!!

…….

…… ……

그게… 난 일단 괜찮으니까…

지… 지금 여기 오면 안 돼요!

얼버무리지 말고 똑바로 말해!

당장 데리러 갈 테니!

신이치… 네가 있는 곳을 말해라.

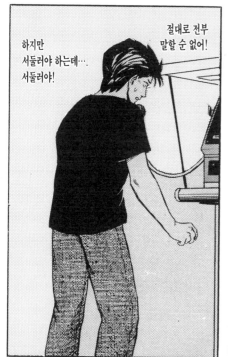

하지만 서둘러야 하는데…. 서둘러야!

절대로 전부 말할 순 없어!

전부 털어놔! 조리 있게!

전부라니….

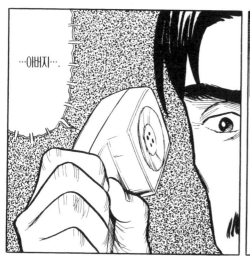

…아버지….

…….

아버지,
저요….

엄마가 죽고…

지금까지
부모님 말씀을
거역하거나…
반항한 적도 없었고….

이제 가족이라곤
둘뿐이니까…
앞으로도 계속
착한 아들로
지낼 거예요….

꽤 착한
아들이었잖아요…?

…….

그러면 엄마도
기뻐해 줄
테니까….

…대학에도
가고….

지금 이렇게
한가하게
전화하고
있을 때가
아닌데….

…지금은
그게 문제가
아녜요….

내가 지금…
자세한 얘기를 안 해서
걱정되는 건
알겠지만…

스스로
「착한 아들」이라는
네 말을 믿겠다.

…알겠다.
일단 집에서
나가 있으마….

다시 한 번
묻겠는데,
지금 네가
있는 곳은
안전하니?

아버지….

네!

알았지?
꼭 연락해야
한다!

알았어요…

내가 잘 가는
호텔이다…
거기에
있으마.

…지금
불러주는
번호를
메모해라.

네….

조심하거라.

네가 하는 일이니
괜찮을 줄은
알지만…

「다섯 식구」
하고
딱 마주칠 수도
있으니.

섣불리
움직였다간
또 그…

이제
어떡한다?

후—…
그럼…

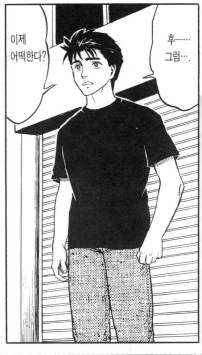

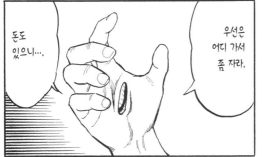

돈도
있으니….

우선은
어디 가서
좀 자라.

돈….

내가 한 말도
아닌데, 뭐.

이거 하나도
「착한」 아들이
아니잖아….

……

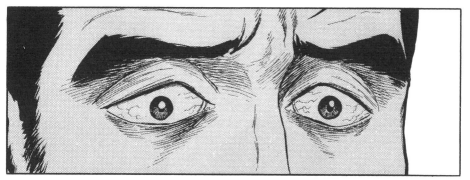

제42화 —끝—

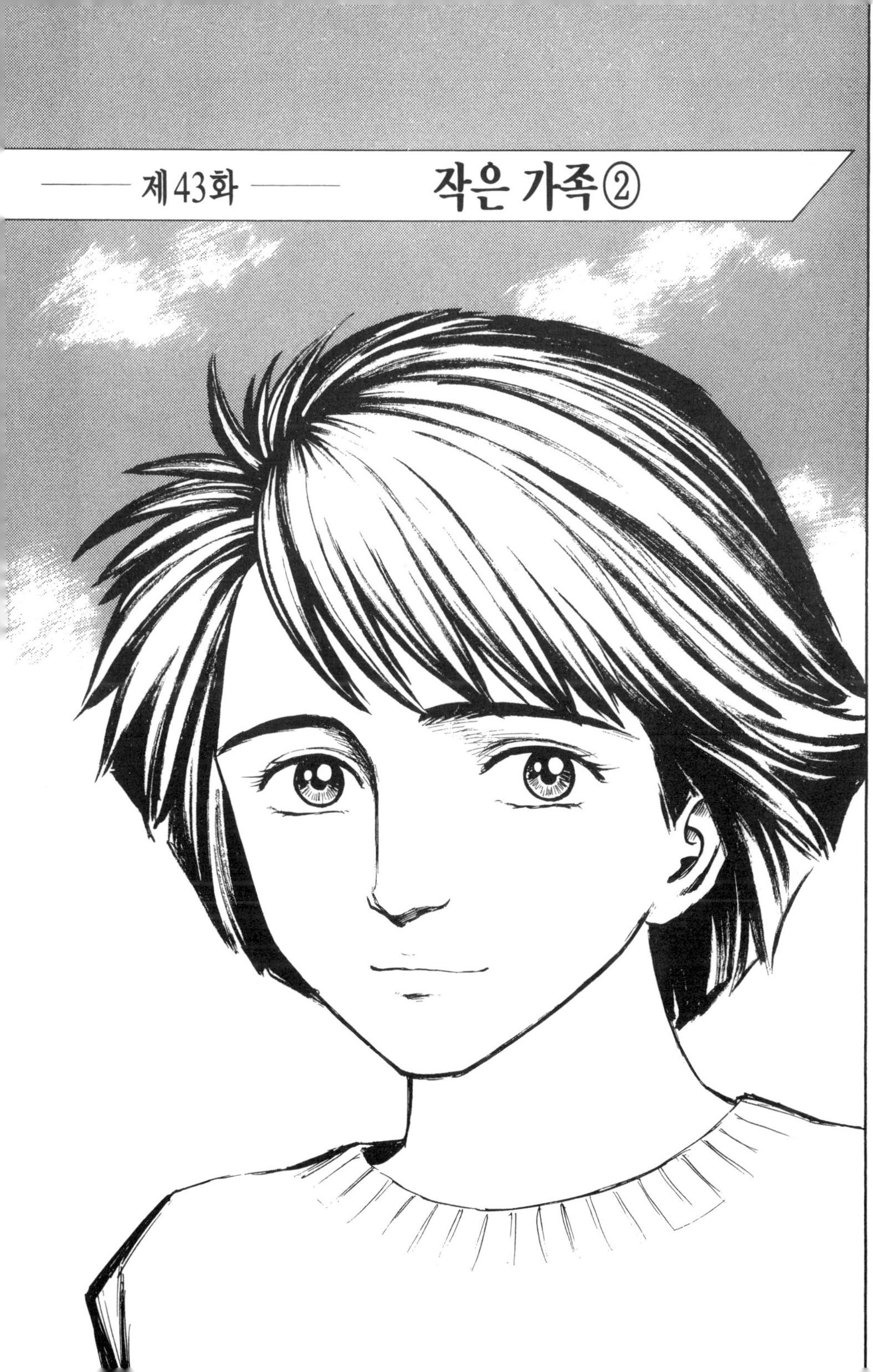
제43화
작은 가족②

둘 다
실패라고…?

이럴 수가 있나.

뭐야?!

그게
뭐 그렇게
큰일인가?

그 덜떨어진
탐정 하나도
처리 못해?!

팔에 기생하는
꼬마는
그렇다 쳐도!

쿠사노 씨.

무슨 소리야….

일을 이렇게 만든 건 당신이면서!

화내는 표정이 제법 얼굴에 붙었네요?

특히 탐정 본인을 놓치고 그 가족만 죽이다니, 인간의 성질을 몰라도 한참 모르는군요.

탐정의 처리를 당신들한테 맡긴 게 내 실수였어…. 이렇게 마구잡이로 밀어붙일 줄 몰랐으니까.

……

하지만 그것 때문에 방해꾼이 늘어나도 다 죽여버리면 그만이잖아?

방이 어두웠으니까….

다들 인간을
너무 얕보고 있군요.

분명 개체 단위로 보면
지극히 허약한
동물로 보이죠.

…하지만
그렇지 않아요.

인간은 자신의
머리 바깥에
또 하나의 거대한
「뇌」를 갖고
있어요.

그걸 거슬렀을 때
우리 기생생물은
패할 거예요….

인간은 수십 수백…
수만 수십만이 모여
하나의 생물을
이뤄낸다는 거예요.

우리가
인식해야 할 것은
인간과 우리의
가장 큰 차이….

어제와는 전혀 성질이 다른 존재로 변해 있을 테니까.

소년은 한동안 내버려둬도 괜찮을 거예요. 문제는 탐정이죠.

인간에 대해서는 잘 모르지만….

……

적으로서….

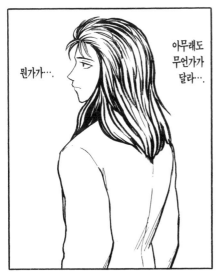

뭔가가….

아무래도 무언가가 달라….

저것은 정말로 우리「동족」일까…?

뭐… 처지를 생각하면 할 수 없긴 하지만….

계속 저러고만 있나요?

하지만… 사건 해결엔 시간이 관건입니다! 지금 이렇게 시간을 낭비하면 범인 체포도 어려워진다구요.

당신 마음이 괴로운 건 알아요.

흐음─. 이것 보세요, 쿠라모리 씨.

……

……

하하하,
뭘요ㅡ.

미안하네,
아베 군.

아빠아ㅡ.

송충이는
솔잎을
먹어야지….

물론 이대로
끝낼 생각은
아니겠죠?

담당이었던
형사가 분명…
「히라마」라던가….

히라마라는
형사…
있습니까?

응?

히라…

하하하.

그 사람요,
눈이 시뻘게 갖구
디굴디굴거리는데,
되게 겁나데요.

어때?

휴….

누구 히라마라는
형사 모르십니까?

아—
그리고…

구보 형사!

형사라고?

북부서의
히라마 씨
얘긴가?

!

!

예!
과장님.

쿠라모리 씨.

저도…
부인과 따님의
시신을 보고 혹시나…
하는 생각은 했습니다.

?

당신이 어떻게
히라마 경장을
알고 있는지는…

일단 접어둡시다.
탐정이시라니까.

짐작가는 것이
있으시죠?

…패러사이트.

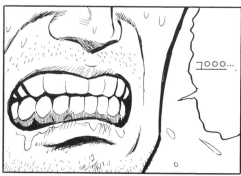

그으으으…

으… 윽!

끄아아아
아아아!

......

네.
아마도…

그거…
신이치의
가방이지?

네…

그 녀석,
어제 오전 중에는
있었지?

어제도 분명히
저랬는데….

없네….

어이!
거기 누구야?!

뭔가 심상치 않은
분위기였어.

역시 어제
신이치….

싫어!
또 그런…

신이치가 그럴 땐
항상 뭔가
좋지 않은 일이….

쟁
쟁
쾅
쾅
쿵
쿵
쿵

이러니까
결국은
헤어지는 거….

여.

항상 입 꾹 다물고
혼자 후다닥
가버리니까.

하지만
왜 아무도
안 하는
걸까….

아…
그, 그래?

신이치는 오늘
안 나왔어.

아… 카미조….

…….

어제는 여느 때랑
다름없이 있었는데
가방만 두고
사라졌거든?

근데 좀
이상한 게,

난
모르거든.

신이치네 집
알지?

아… 응.

신이치…. …….

그러니까 이 가방 좀….

얘! 왜 하필 내가 전해 줘야 하는데?

어?

후후. 그치?

이제 슬슬 화해하라구.

다 알면서 괜히 그러지 마.

집에 있을까?

하지만…

……
…….

신이치네 식구들 중 하나만 있어도 좋은데.

역시 없네….

풍 풍 풍 웅 웅

흐음—.

마당 구석에 숨겨 놓을까?

이렇게 뻔히 보이는 곳에 놔두기도 그렇고….

언제부터인지 신이치는
가족 얘기를…
특히 어머니 얘기를
안 하려 하던데….

그러고 보니
신이치네 아버지나
어머니는
잘 계시나…?

그런데도
난 번번히
물어보려
했으니….

남들한테
말하기 곤란한
일이라거나.

어머니한테
무슨 일이
있나?

그 여행 이후로
신이치는 완전히
변해버렸어….

그래서 나도
물어보려고
했던 건데….

갑자기 신이치를
이해할 수 없게
돼버려서….

응…?

어디 있니…?

무사하니…?

신이치…

실례합니다.

일부러
오시게 해서
죄송합니다.

이쪽입니다.

저 히라마라는 사람,
경장이라는데
우리 과장님(경위)이
왜 저리 깍듯하답니까?

저,
야마카미 씨.

음~
모를 일이네.

뭐...
이 사건에 관해서는
히라마 씨가
이 지역 전담이니까.

제가
히라마입니다.

쿠라모리
씨.

......

검시가 아직 완전히 끝나지는 않았지만, 얼핏 보아도 틀림없다고 생각됩니다.

부인과 따님 일은 대단히 유감스럽게 생각합니다….

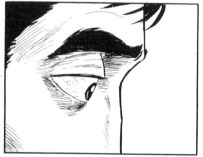

당신이 생각하는 바를 말해 주십시오.

원수…?

쿠라모리 씨의… 원수를!

예!

……
…….

…….

…명탐정
홈즈를….

…어릴 적부터
…명탐정을
동경해 왔습니다….

이것 봐요….

흐흐흐…
흐흐흐흐흐흐흐
흐흐흐흐흐….

그래서…
우여곡절 끝에
일단 탐정이 되긴 했지만…
흐흐….

될 수
있습니다.

명탐정이…

물론이죠!

…원수를 갚을 수
있을까요….

저기, 마음이 저…
너무 산란하니까
우선 필기도구와 그…
좀더 조용한 곳으로….

며, 몇 가지
정보가
있습니다.

제, 제 힘이 아니라…
저를 도와준
사람이 있는데요,

그러면 쿠라모리 씨에 대해서는 제가 맡도록 하죠.

아니….

현재 자택에서는 무리일 테니 호텔 방을 하나 잡도록 하죠.

알겠습니다.

아… 그, 그러십시오.

타무라 레이코ﾟﾟﾟﾟﾟﾟﾟﾟﾟﾟ옛!

여보… 유미… 원수는 꼭 내가 이 손으로….

이 아이는
너무 신비스럽다….

신비해….

이 세계는
불가사의한 것이
너무 많아….

어째서
우리는…

성급히…

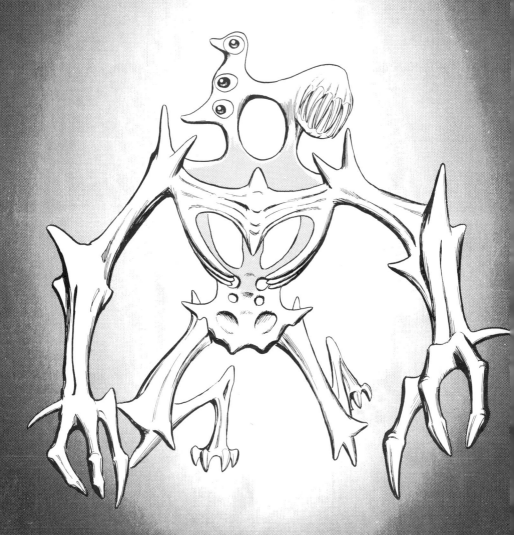

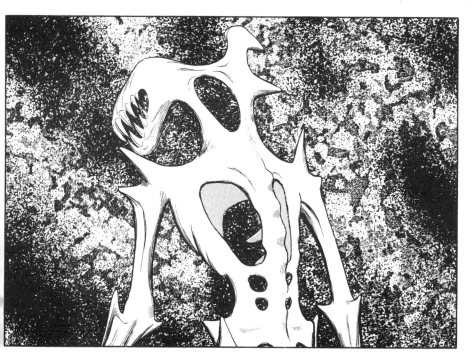

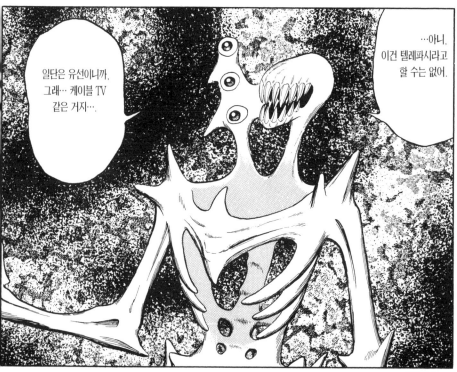

일단은 유선이니까,
그래… 케이블 TV
같은 거지….

…아니,
이건 텔레파시라고
할 수는 없어.

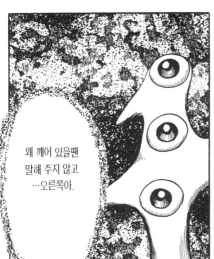

왜 깨어 있을땐
말해 주지 않고
…오른쪽아.

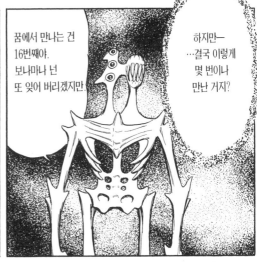

꿈에서 만나는 건
16번째야.
보나마나 넌
또 잊어 버리겠지만.

하지만ㅡ
…결국 이렇게
몇 번이나
만난 거지?

왜?

……
그런데…

지난번엔 어쩌다
눈뜨기 직전에
만났기 때문에
약간이나마
기억했던 거지.

어차피 기억도
못할 텐데, 뭐.

나도 네가
현실 세계의
신이치처럼은
안 보인다구.

볼 때마다
같은
소리라니까….

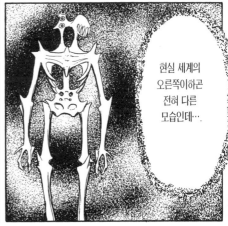

현실 세계의
오른쪽이하곤
전혀 다른
모습인데…

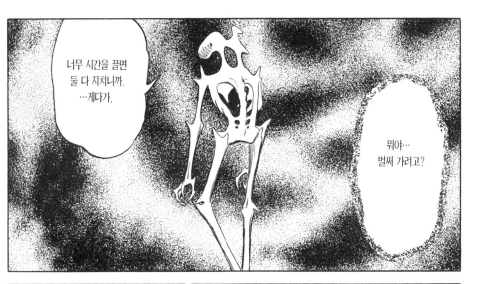

너무 시간을 끌면
둘 다 지치니까.
…게다가,

뭐야…
벌써 가려고?

뭣보다 지금
현실 세계에서 우리는
썩 한가한
처지가 못 돼.
그러니까 둘 다
푹 쉬는 게 좋아.

더 이상 꿈속에서
만나는 건
무의미해.

네 몸에 녹아든
내 30퍼센트의 세포들과는
도저히 연락할 방법이
없다는 걸
알았으니,

깨어나면
생각날 거야.

기다려,
오른쪽아!
한가한 처지가
못 되다니,
대체….

현실 세계에서?
…그랬나…?

어…?
……
뭐였더라….

오른쪽이….

응….

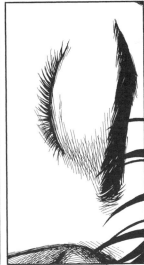

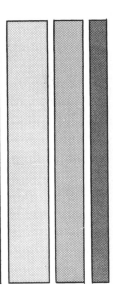

후아…

아야아.

62-55-354

쿠라모리 씨의
가족 사건은···
역시 보통
살인 사건으로
여겨지는 건가?

어제
석간에는
아무것도
안 실려
있어···.

없네···.
사건 발생은
그저께
새벽이었는데,

쿠라모리 씨가
내 얘기를
했을까···?

**친구들과도
이별이겠지···.**

그래도 할 수 없지.
가족까지
잃었으니···.

하지만 만약
말했다면
이대로···

하아… 이제 정말 어떻게 한다….

그러면 아버지한테 연락하기도 힘들어지겠지….

내 얘기가 공표되면 오른쪽이도 나름대로 행동에 나설 테고….

음냐…

…학교에 갈 시간인가….

…그렇다면 그 「다섯 식구」를 완전히 떨쳐 버렸다고 봐도 되겠지?

어제 하루는 별로 이동하지도 않았는데 기생생물과 맞닥뜨리지 않았어.

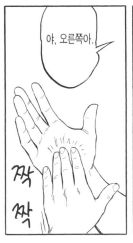

야, 오른쪽아.

야.

젠장! 한가한 녀석일세…

아직도 자나…

예….
덕분에요.

어떻습니까?
푹 쉬셨는지요?

아뇨,
그렇게
하면….

그 조사 말입니다.
…제가 사건 보고서를
쓰는 형식으로 하면
정리가 잘될 것
같습니다만….

그럼 당장
방으로 가서
시작할까요?

저….

…하지만
시간적으로
좀….

우선 쿠라모리 씨가
쓰신 것을 보면서
그때 그때 질문하는 식으로
조사를 진행하면 되니까요.

하긴
그렇군요….

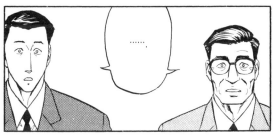

……

알겠습니다.
필요한 게 있으면
여기 미타 형사에게
말씀하십시오.

**점심 때까진
마치
겠습니다!!**

하지만 경장님, 이만한 사건에 보고서 제출부터 하겠다니….

예…?

자네는 「이만한 사건」이라지만 실은 얼마만한 사건인지 아나?

미타.

……

「놈들」에 대해
우리는
거의 모르는 거나
마찬가질세.

하지만 「놈들」은
단순한 맹수가
아니네.

분명 샘플도 다수 입수됐고,
「놈들」의 힘이며
기타 능력에 대해서도
상당 부분 밝혀졌지.

하지만
유이 교수의
연구로
상당 부분…

실제로 그와
마주쳤던
사람의 육성을 들어 보는
…그것이 출발점이네.

중요한 것은
인간 사회에의 정착·
침입·잠행 형태를
파악하는 걸세.
이건 해부대 위에선
알 수 없어.

적이 과연 세상을 뒤엎는
고질라 같은 괴물인지,
아니면 사람들 틈에 섞인
아마추어 테러리스트
정도의 존재인지…

공개해야
하는지
덮어둬야
하는지.

정부를 보게.
어떻게 대처해야 할지
여태 갈팡질팡 아닌가.
다 적의 정체를
모르기 때문이야.

덕분에 경찰청과 방위청,
그리고 일부 사람들
사이에서 동시에,
그러나 각기 다른
대책반이 만들어지고
만 셈이라네.

아뇨.
좀 쉬려고요.
담배나 사올까
싶어서…

아아,
다 되셨습니까?
좀 봐도 될까요?

아.

그건 제가 사올 테니 계속 쓰시죠.

자, 자,

삐잉

B1 1 2 3 4

이봐.

아뇨. 하나 더 있긴 합니다만, 왜…?

아, 아니….

비상구는 저기 하나뿐인가?

쿠라모리 씨.

설마하니…
용의자도 아니니
도망칠 리는
없겠지….

철컥

화악

쿠…

뚝똑
뚝똑

우리가 그렇게
신경을 써 줬는데!

왜 도망간
거야!!

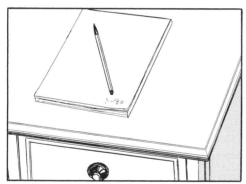

......

......

……

자택에는 없습니다.
들렀다 간
흔적도 없구요.

음.

이거…
읽어 봤나,
미타…?

아… 아뇨….

후… 후후후…
크크크….

……

만약 이것이
사실이라면…

훌륭한 문장이야.
딱 맞아떨어지는군.
기대 이상이야,
이건!

이건 잘못하면
…아니아니…

?

가장 핵심이 되는
「타무라 레이코」의
주소와… 또 하나,
「협력자」라는 인물에 대해
숨기고 있다는 게
마음에 걸리긴 해도…

저어….

쿠라모리를
찾아!

잘하면
지상전이
되겠어…!

하지만 이 「타무라」라는 이름 역시
가명일 텐데….
더욱이 패러사이트
「히로카와」가 시장으로 있는
동 후쿠야마 시청에
알려지지 않도록 하면서
조사해야 하고….

처자의 원수!
자기 손으로
복수하기 위해
장소를 밝히지
않은 거야!

이게 사실이라면
쿠라모리의 목적지는
「타무라 레이코」의
거처다!

예?

자네들,
한 줄로 서서
머리를 대 봐!

잔소리
말고!

어쩌면
동 후쿠야마
경찰 내부에도
이미…?

저,
저도요?

아야.

훅

아.

......

에에에, 배우가 모자라는군!

훅.

뚝 꺅

뚝 꺅

나를 지옥으로
끌어넣은 것은

타무라 레이코,
너다.

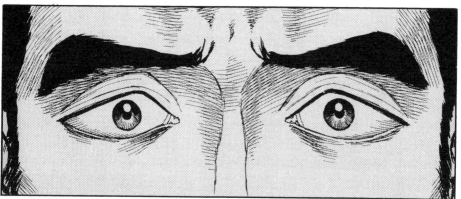

뚝
뚝

어쩐지 분위기가
심상치 않은데….

…셋?

……

이제 오나?
타무라!

이미 당신에게
포착됐겠지.

숨기려 해도
우리의
살의는…

그런데도
왜 달아나지
않았지?

흥미가
동해서요.
…호기심에
진 거죠.

우리 기생생물이
발하는 것 중
가장 긴 파장은
「살의」 내지는
「적의」니까.

그래요….

지금까지
함께 일해온 사이다.
목숨이 끊어지기 전에
약간의 만족감은
줄 수 있어.

내 질문에
답할 만한
여유는 있나요?

…….

놀랐어요.

「쿠시노 씨」도
인간처럼
다정한 말을
할 줄 아는군요.

우선…

이 결정에
찬성한 사람이
또 있나요?

당신을 처치하려는
계획을 알고 있는 것은
우리 셋뿐이다.

히로카와나
고토는 몰라.

당신은 앞으로
우리 종족 전체에
아주 위험한 존재가
될 거라는….

이유가 아니야.
단지
내 직감이지.

이유는?

역시.
…그러면,

그것만 들으면
충분해요….
나도 작별 인사를
해 두죠.

당신은
「A」를 닮았어.

…과연.

A?

일사불란한
조직을 만드는 것도
아주 쉬울 줄
알았는데…
천만에.

우리 기생생물은
인간에 비해 그 행동,
사고방식이 철저히
합리적이고도
단순명쾌하기 때문에,

내가 한참
잘못 생각했나
봐요.

나는 오히려
기쁘게
생각해요.

하지만 나를 포함해,
기생생물 각각이
이만큼이나 큰 개체 차
—라기보다는…
개성을 가졌다는 점을,

이 린치에 대해선
감동스럽기까지
하군요.

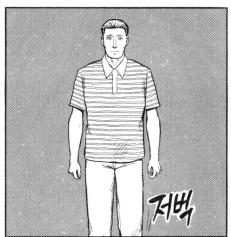

이별이군….

그럼…

…셋이서
덤벼들면
이길 줄
알았어?

뭐야?

?!

인간들이 다소
눈치채도
상관없다!
죽여!!

놓치면
안 돼!

제44화 —끝—

세 파로 갈라졌군.
…바로 뒤에 하나,
나머지 둘은 도주 경로를
제한하기 위해
좌우로 흩어지고….

너무 단순해.

구두 탓만이 아니야.
체력도 남자인 내가 위다.

좋으시겠네요.

1 대 1이라면
종합적인 힘에서
내가 우월해.

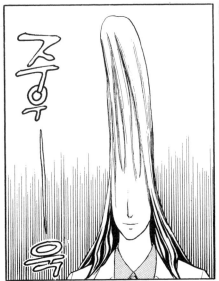

느리다…….

뭘하고 섰어?
느림보!

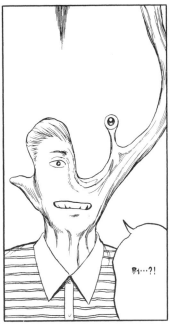

꺄아악!

휙!

깔깔깔깔!

둘로
나뉘었어?

어?

꺄어어억!

꺄억!

찌익

찌익

하나는 싸우고,
하나는 달아난다?
어떻게 된 거지?

그럼 나는
달아나는
쪽으로…

……

일단 싸우는
쪽으로!

이건…

!

어떻게
됐어?!

체내로…?

있다, 저거다!

반만이라도 달아나고 보자는 건가!

세상에….

깔깔깔깔!

?!

설마…!!

ギャギャギャギャギャギャギャギャ!!

까아아아아!

으아아
아아아악!!

아귀머리
귀신….

저, 저게, 저게,
저게, 저게, 저!

까아아아아아
아아아아악!!

난장판이군….

으악

괴물이다

패, 패러
사이트다!!

저쪽으로 갔어!

죽여!!

잡아라!

웬 난리여?

뭐라고? 다시 말해 봐! 주위가 시끄러워서.

총 내봐, 총!,

수수수 순경~!!

쏴요, 쏴! 쏴 죽여!

아, 아냐! 괴물이야, 괴물!

뭐, 뭐요, 당신들! 폭동인가?!

으익~.

뭣보다 반만 남은
기생체가 그리
오래 온몸을
통제할 수 있을 리 없어.
완전히 자살 행위다.

저놈은 이미
사고력을
잃었어.

상대할
필요도 없군.
저 꼴을 하고
인간들 속에
뛰어들다니.

허무하군!
이게 그 높은 지능의
소유자라는
「타무라 레이코」의
최후란 말인가!

그리고 후방에서
싸우고 있을
나머지 반쪽은
이미 생존
가능성조차 없다.

몸속에 있으니
공격할 방법도 없고….
어떻게 하지?

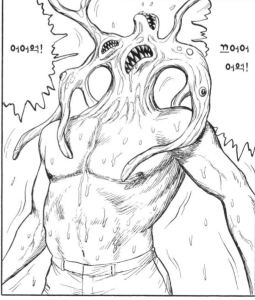

어어억!

끄어어
어억!

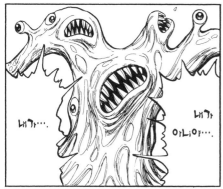

내가…. 내가
아니야….

으… 무슨
짓이야!

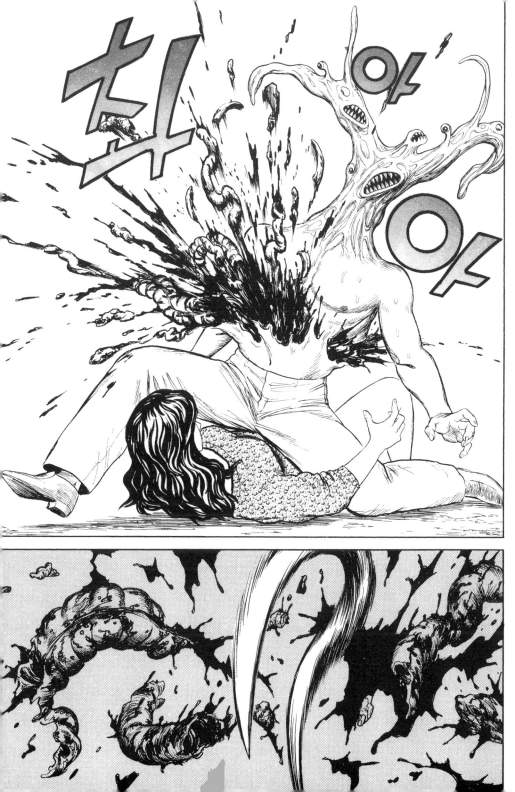

아뿔싸!!

하나가 죽었다?!
당했나?

!

킥
킥
킥

이 근처에
있을 거야!

잡아라!

타
따
딱

ㅇ ㅇ ㅇ…

ㅇ…

다른 몸속에
들어가면
살 수 있긴 해…

역시
그렇군…

……

하지만 겨우 반쪽뿐인 네가 할 수 있을까?

머리 바로 밑에 붙어서 동체를 차지할 셈인가?

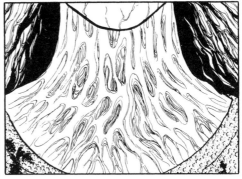

이... 흑...

설령 차지한다 해도 그렇게 손상된 몸으로 나를 이길 수 있을 것 같아?

샤아약

이건 어때!

그만둬! 내 몸을!

!

픽싹

저놈이야!

여기다―!

네?

으앗!
밀지 마!

괴,
괴물이야!

괴물…
이라뇨?

괴물…!

반쪽…
어라?

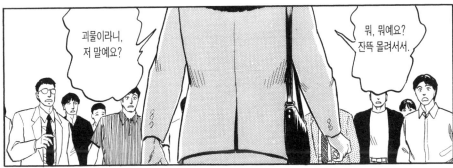

괴물이라니,
저 말예요?

뭐, 뭐예요?
잔뜩 몰려서.

내가 왜
반쪽이예요?

반쪽?!

아니,
그게…

이게 어떻게
된 거예요?
순경 아저씨!

말도 안 돼!!

옷차림이
~?!

아니 저…
옷차림이
비슷해서….

뭐가 어째! 목격자가 이렇게 많은데?!

나참… 당신들 잘못 본 거 아뇨?

죄송합니다. …이제 됐습니다.

처음에 돌아봤을 땐 깜짝 놀랐어.

하지만 미인인데…

흥!

이런 미인한테 말이야…

…….

많이 놀랐죠?

저기… 아가씨.

흥.
지금 말한 건
어느 쪽이지?

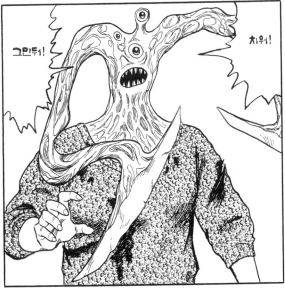

그만둬!

치워!

치한
퇴치용
이에요.

뒤
적

아까부터
왜 그래요?
돌멩이를
핸드백에…

가봐야겠네….
몸을 다루기가
힘들어졌어.

하하,
기분 상한 건
알겠지만….

우리가
한 잔 살 테니
화 풀어요.

저기요.

어이!

몸 다루는
거라면 접니다.

아.

죽이게
예뻐요!

그럼요!
예쁘다마다!

내가
…정말 그렇게
예뻐요?

머릿속은
터엉
비었지롱~!

흥-.
…하지만…

끄엑~!!

으아…!!

깔깔깔깔!
깔깔깔깔!

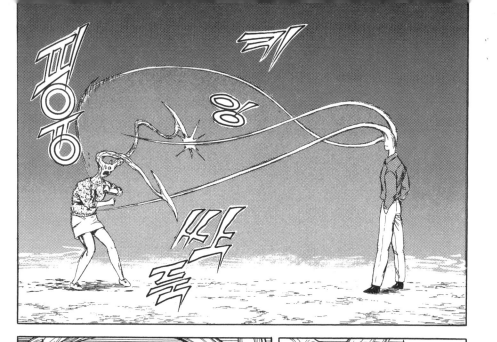

단념해!
이제 살 수 없어!
타무라 레이코의
살조각과
함께 죽어라!

그만둬!!
제발 그만 해!

나는
한편이란
말이야···.

호… 그러면
왜 자꾸만
나한테
다가오는 거지?

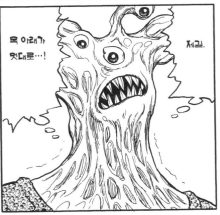

목 아래가
맛대로…!

제길.

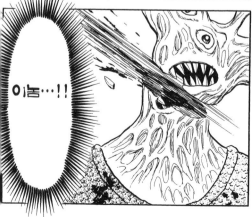

이놈…!!

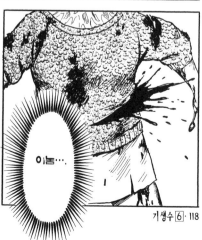

이놈….

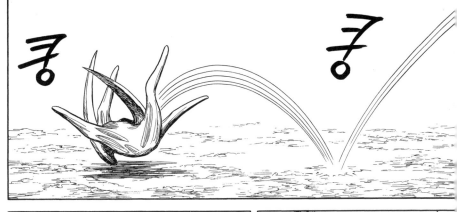

네가 현재 몸소 느끼고 있듯이.

…동체가 파괴당해도 기생생물의 세포는 한동안 살아남아 「노파」를 발한다.

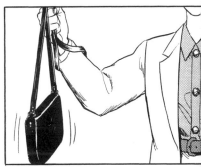

또한 그것은 시야 밖에 있는 상대가 적인지 자기 편인지를 식별하는 중요한 단서이기도 하지.

처음에 말했지? 우리가 발하는 가장 강력한 파장은 「적의」 내지는 「살의」라고….

!

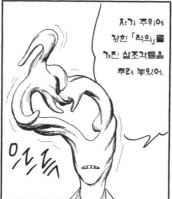

자기 주위에 강한 「적의」를 가진 살조각들을 뿌려 놓았어.

너는 마지막으로 네편인 여자의 몸을 난자해.

설마… 거기까지 계산하고….

이제 알았지? 이 살조각들이 네게 접근하는 내 「뇌파」를 감춰 주었던 거야.

안녕, 쿠사노 씨.

인간답게 생각해 본 적이 있어?

자신이 어디에서 왔다 어디로 가는지…

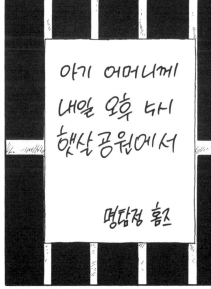

…제법 세게
나오시는군.

탐정양반!

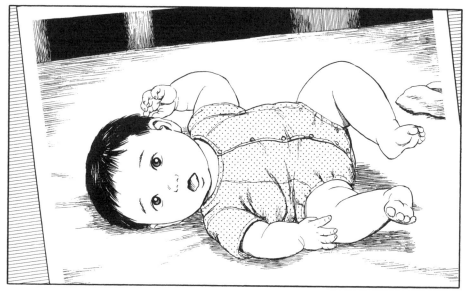

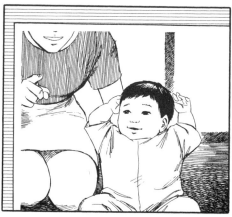

잘 잤니?

안녕―.

여보세요?
거기 이즈미
가즈유키
씨라고….

무슨 자료를 찾으러
가신다면서….

네에,
여기 묵고 계시긴 합니다만
오늘은 아침 일찍
나가셨습니다.
저녁때쯤
돌아오신다는군요.

아…
그래요?

아버지가
자료를 찾으러…

설마!

집에…?

그것도
이렇게 이른
아침에…

아니…
그렇게 단단히
일러뒀으니까,

설마 집에
가시진
않았을 거야

……

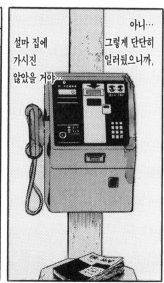

아버지!!

집에 가지
말랬잖아요!!

!

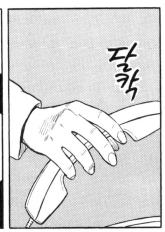

딸칵

누구도 이 집에
오지 않았어.

지금
네가 말한
두 사람은…

여보세요….

며칠 쉬시는 줄
알았는데….

아…아,
아주머니?

설마
너는!!

설마···

잘 있었어?

분명 너를 처치할 계획은 있었지만… 지금은 그럴 경황이 없거든.

그렇진 않아.

이번엔 네가 날 죽이러 온 거야?!

하… 함부로 남의 집에 들어오다니!

…?

어쩌면 민족대이동이 일어날지도 몰라.

오늘 오후 5시 20분에 거기로 나와 주겠어?

너희 집에서 멀지 않은… 그래, 히로카와가 시장을 맡고 있는 곳인데… 거기에 「햇살공원」이라는 곳이 있어.

뭐… 뭐야…?!

그건 접어두고, 나도 마침 네게 연락하려던 참이었어. 개인적인 일 때문에.

네게 줄 것이
있어서….
인간과 우리들의
중간에 있는 네게.

이… 이봐…

대체 뭐하는
수작이야!

나한테
줄 게 있다고?
적인 주제에!

…아니면
일종의
도전장인가?

제기랄.
제멋대로
정하고 있어!

어, 어이!!

찰칵.

그딴 소리밖에
못하나!

너는 꼬옥!

반면 흥미가
동하는군.
재미있겠어.

지극히
위험하지만…

이게 신이치의
어머니인가….

료코!
대체 어떻게
된 거니?

어머니…

다… 당신은
누구지?

우리 료코를
어떻게 했어?!

샤
악

있을 리가
없지…

……

후… 늦겠다.
학교나 가야지.

뭔가…
내 생각에도
바보 같긴 해….

저기….

이 집에…

사세요?

이, 이 집…

저, 저기 신이치는 어디….

그런데요.

…….

아아… 신이치? 사정이 좀 있어서 집엔 없어요. …친군가?

…이 여학생은 분명 내가 「타미야 료코」일때 우리반에서 본 얼굴이군.

저…!

힘들게 데리러
와 줬는데…
미안하군요.

......

내가 그렇게
늙어 보여요?

아뇨.

신이치의…

어머니…
되세요?

대체 무슨 일이
있었는지!!

가르쳐
주세요!

아… 아뇨.

......

엄청난 일?

신이치는 지금
어떤 엄청난 일에
휘말려 있죠?!

신이치는
아무 말도
안 해 주지만….

저도… 알아요.
무슨 일이
있다는 것쯤은….

……

…신이치가
걱정돼요?

네?

…부러워.

…….

…하지만 이제
곧이라니….

걱정 말아요.
그애는 보기보다
훨씬 강하니까.
이제 곧 건강한 모습으로
돌아올 거예요.

오늘일지도
모르죠.

오늘…?!

어?!

「타무라 레이코」의
단서는 찾았나?

탐정사무소는
전소돼 버렸고요.

쿠라모리 씨의 자택에는
일에 관한 자료는
거의 없었습니다.
추리소설 같은
것뿐이더군요.

이제 곧…
돌아온다…

오늘일지도
모른다구…?

사토미,
가자ㅡ.

응.

맞아….
전에 임시로 왔던
담임이랑 닮았어….
뭐였더라?
타미야….

어디서
본 얼굴
같기도
한데….

아까 그 사람은
누구였을까….

잘 가!

내일 보자.

아하하하.

계집애.

이제 곧··· 돌아온다···.

뚤컹 뚤컹 뚤컹

신이치!!

오늘이라도
….

돌아올 거야!
이제 곧!

!

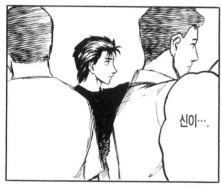

신이….

떨컹
떨컹
떨컹

우왓.

끼
끼
끼
끼

그래!
신이치는
늘 여기서 내리지!

잘못 봤나?

없어….

신이치!!

다음
전철이…

틀림없어!
하지만
왜 집으로
안 가지?!

으윽… 바보같이! 어디서 내렸는지도 모르는데 쫓아가면 뭐해!!

끌컹 끌컹

이 다음역이… 그러니까…

카나가 살던 동네구나.

카나는 뭔가 알고 있었을까? 내가 모르는 신이치에 대해….

끼이이

카나가….

여기서 내렸는지 아닌지도 모르면서!

하하─ 정말 내가 뭐하는 짓이람?

어!

하아….

실례합니다.

아침에 신이치네 집에서 나온 사람이다!

저 사람은…?

뭐 저렇게 빠르담~!!

아아! 젠자아앙~!

헉~. 후아후아.

젊은 처자가 큰소리로 「젠장~」이라니!

그럼 못써!

아…

어허!

겨우 찾았군.

없나 보군.

죄송하지만 문 좀….

아, 예.

「시마다 히데오」는 꽤 많은 인원으로도 고전했다던데요.

저… 혹시 숨어 있는 게 아닐까요….

풋.

예?

우히히.

겁나면 바깥에서 놀고 있게나.

……

!

이건!

홈즈…?

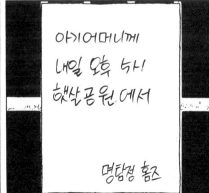

아기어머니께
내일 오후 누시
햇살공원에서

명탐정 홈즈

5시라…
시간이
얼마 없군.

당연히
오늘이지!

「내일」이라면…

놀랐네요….
아이를 썩 잘 보는군요.
당연히 큰소리로
울고 있을 줄 알았는데.

아— 착하지
까꿍~.

한때는 거의 마누라가 벌어먹이다시피 해서… 애는 내가 돌봤지.

…그래.

……

하지만 왜 5시 20분 같은 어중간한 시각을 택했을까?

좀 일찍 왔네.

그게 중요해?

중요해.

지형을 파악해 둬야겠어.

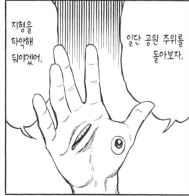

일단 공원 주위를 돌아보자.

흐이구….

「햇살공원」이라….

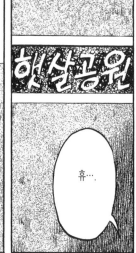

햇살공원

휴….

제46화 —끝—

제47화 ─── 사람의 어미

…냉혹한 괴물이라도 자기 새끼는 소중한가 보군.

당신의 그 불합리한 행동도 이제는 이해가 되는군요.

…인간에 대해 여러 모로 연구하다 보니…

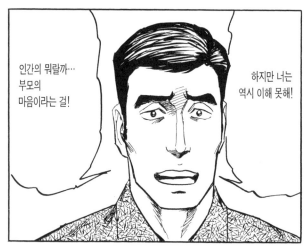

인간의 뭐랄까… 부모의 마음이라는 걸!

하지만 너는 역시 이해 못해!

허… 그거 고맙군.

모든 것을
잃은 슬픔의 크기를
너희들이 알겠나구!!

......

지금까지 살아온
행복의 크기를
네가 알아...?

...맞지?

「아아...
죽었구나」
하는 정도일
거야.

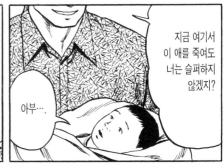

지금 여기서
이 애를 죽여도
너는 슬퍼하지
않겠지?

아부...

?!

뭣보다 이건
네 애가 아냐.
인간의 아이니까.

한 바퀴 다 돌기도 힘들겠다.

하긴… 이 공원은 꽤 넓어서,

이제 됐어. 가까운 입구를 통해 안으로 들어가.

벌써 다 됐어?

그놈은 어느 쪽이야?

그래서

…알 턱이 없어…. 알 리는 없겠지만…

대체 어떤 「감정」이지…?

뭐지? 이 따장은…? 이런 것은 처음이다. 분명 타무라 레이코의 「뇌파」는 틀림없지만… 지금까지 만난 「동족」들 중 이렇게 특이한 따장을 내는 놈은 없었는데…,

그래도
내가 맛본
슬픔의
100분의
1정도는…

너도!!

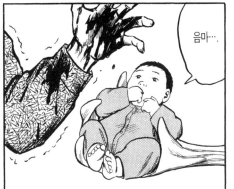

음마…

크흑!

히…히히.
자…장난
이었는데….

우흡….

거…걸려들다니….
사…사람이… 사람…
아기를 죽일 턱이
없…잖아.

큭… 헤헤….

으윽….

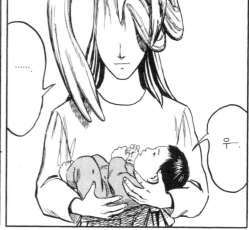

…….

우.

놀랄…
노…자….

후…
히히히.

하지만…
설마 괴물인
네가….

털
썩

나 자신도
놀라고 있어….

공원 안 반대쪽 구석으로 가고 있어.

뭐어?

신이치, 타무라 레이코가 이동한다.

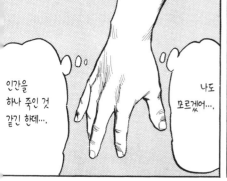

인간을 하나 죽인 것 같긴 한데….

나도 모르겠어….

제길… 뭐가 어떻게 돌아가는 거야?

역시 본서에
지원을
요청하는
것이….

겨우 끌어모은
이 인원으론
힘들겠는걸.

넓은
공원이군.

경관의 의무와는
상당히 동떨어져
있다는 것을
명심하게!

이제부터
우리가 할 일은,

안 돼!

…!

사, 사람이 저쪽에 사람이!

까아아 아아아!!

이봐!!

으... 어...

쿠라모리!!

어서 가!
한눈에
알아볼 수 있으면
주저 말고 쏴!

꽈꽈꽝

옛!

저긴가?!
놈은 저 위에
있나?!

「히로카와」한테
알려지진
않았고?!

「타무라
레이코」요?!
그놈
혼자뿐
이오?!

쿠라모리!!
이봐!!

…아아
형사님…

하나만 더
가르쳐
주시오!

알았소!
놓치지
않겠소!

아기를 안고…
아기옷에
내 피가…
조금….

그놈은…
하얀… 옷.

그 인물은 어떻게
기생생물을
알아볼 수 있는 거요?

그 보고서에 있던
「협력자」라는 인물!

…그는
…인간입니다.
…나처럼…
작은 가족이…
그것을 잃고…
…괴로워…
하는….

이름을
말해 주시오!

그 자는 인간이
아닌 거요?!

......

그의 이름을!!

부탁이오!

이봐요!!
쿠라모리 씨!!
쿠라...

아기를...
안 죽여서
다행...이야...

...여보...,
유미.
...미안해.

...지금
갈게...

원수는
꼭 갚겠소...
명탐정!

어쩌면
대단한
영웅일지도
모르지.

그러나
당신은 훌륭했소.
그 보고서
덕분에...

후一.

아기.

흰 옷에…

옛!

철컥

철컥

꺄아악!!

으아아아앙!

응아아아아!

실례 하겠습니다!!

잠시이이!!

아무튼 「타무라 레이코」를 놓쳐서는 안 돼!!

우리의 행동이 「히로카와」 패거리에 눈치 채이지 않기를!

지금 여기서 처치해야 한다!!

......

제길!
또 어린애를
방패삼을
셈인가!

그 모습이야….
나로서는 절대
용서가 안 되는
모습….

알아.

침착해.
호흡이
거칠어지면
곤란하다구.

신이치.

…….

…너희들과는 차분히 이야기를 하고 싶었지만 아무래도 불길한 예감이 들어서 빨리 끝내야겠어.

네에, 그러셔요?

!!

나는 지금까지 38명을 죽였어.

기생생물은 꼭 인간을 먹지 않아도 살 수 있다는 뜻이야.

대부분 식량으로. …하지만 이것은 「동족」들 중에서는 아주 적은 편에 속해.

모자라는 양은 인간이 평소에 먹는 식사로 충당했지. …즉,

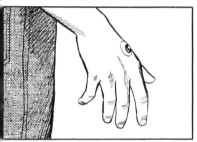

인간에게 있어
기생생물이란,
기생생물에 있어
인간이란
과연 뭘까?

인간에 대해
여러 가지로
연구해
봤어….

......

우리는
하나.

그 결과
나온 결론은
이래.

기생생물과 인간은
한가족이다.
우리는 인간의
「자식」이다.

허튼 소리 마!! 뭐가 어째?!

뭐가…

뭐…

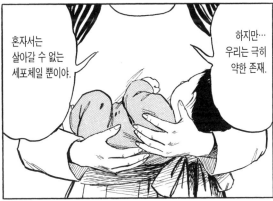

혼자서는 살아갈 수 없는 세포체일 뿐이야.

하지만… 우리는 극히 약한 존재.

괜찮아…. 인간의 감정으로는 받아들이기 어려울 테니.

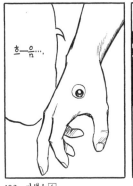

흐―음….

미워하지 말라고…? 그런 억지가 어딨어….

그러니까 너무 미워하지 마.

너희들은
아주 귀중한 존재야.
그래서 내 생각을
들어주길 바란 거야.

......

말하는 김에
충고 하나 하지.
「고토」라는...
최근에 너희를 쫓아온
남자 말인데,
그놈하고는
싸우지 말도록 해.

그렇겠지.

......

처음부터
「미기」가 아니라
「고토」가 나섰으면
너희는 틀림없이
죽었을 거야.

앞뒤도 안 맞는 소리 하고 있네.

흥.

무적이야.

그는 내 실험에 의해 만들어진 약한 「동족」의 한 사람이지만…

후….

쳇, 웃긴…. 징그럽게.

후후후 후후….

후후후후

닷닷닷

사삭

그리고 또 하나는 이 시의 시장 「히로카와」인데….

뭐지?!

타다다

저 사람은 분명...
히라마라는 형사!

!

이 사람들은 다 경찰?

…그렇다면,

저건… 이즈미 신이치!

!

아무리 살인사건이
일어난
공원 안이라고 해도,

이 둘을
따로따로 만났다면
이 정도의 확신은
들지 않았겠지만….

그리고—.

그에게는 역시
뭔가 있다….

이즈미
신이치….

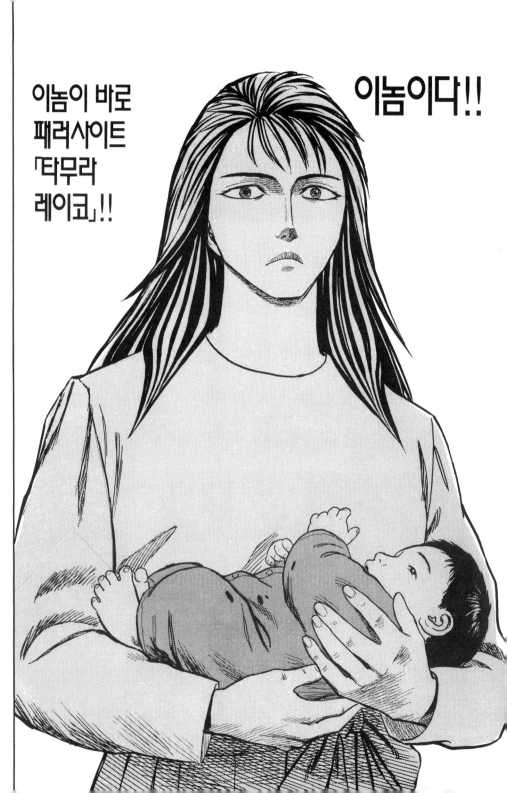

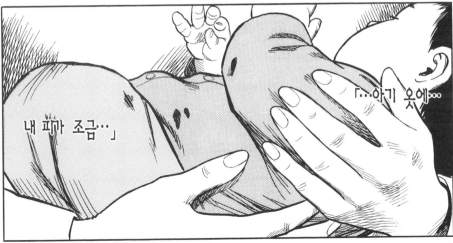

「…아기 옷에∞∞」

「내 피가 조금…」

하얀…
교복!

음!

분위기가
심상치
않네….
뭘까?

찾았어.
저쪽이야!
아냐,
바보야!

이제 가자….

제47화 ─끝─

…아니요.

타무라…
타무라 레이코
…씨죠?

!

방금
쿠라모리라는
남자를 죽였지!

이케다 군!

?!

전 모르는
일인데요.

또
한 사람에게
물어보지.

……

뭐어…?

자네는
왜 여기 있나?

이케다 군.

자네는 예전에
나를 만난 적이 있어.
날 기억하지?

…아저씨야말로
내 이름을
잊어버렸어요?
…히라마 씨….

내가 누구지,
이케다 군?

자네가 이전과
같은 인물이라면…
내 이름을
기억할 걸세.

저쪽은 진짜
인간인 것 같다.
쏘지 마.

……

뭔가 잘못
아신 것 같은데요.

헌데…
아주 침착하시군요,
타무라 씨.

이놈으로도
충분히
맞겠군요.

이 거리
에서라면…

다들 정신
나갔어요?

장난하지
마세요!

철컥

전원!
이 한 발을
똑똑히 봐라!
모든 책임은
내가 진다!

더 다가갈
수도 없고….

착각이라면
미안하지만
어쩔 도리가
없군요.

그만두세요!
무슨 짓이에요!

경장님…!

그… 그만두시죠,
히라마 씨….

……．

총소리…?
설마…

！

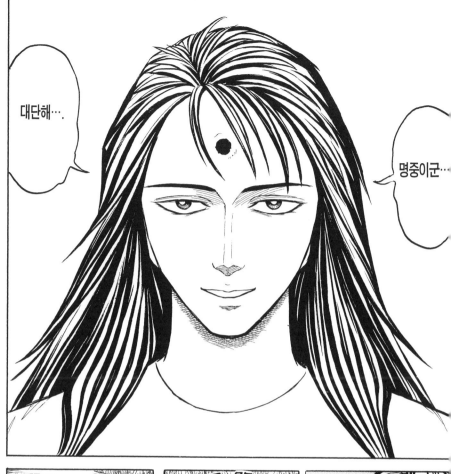

대단해….

명중이군…

안 돼!!
아기는
인간이에요!!

쏴라,
쏴!!

이즈미 신이치!
물러나라!!

…….

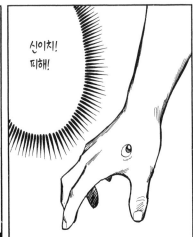

신이치!
띠해!

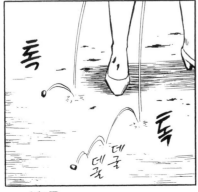

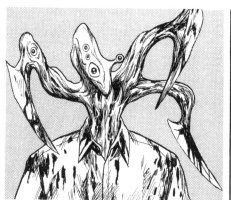

설마….

…설마,
아닐 거야…

상관없어,
신이치랑은…

이제 충분해…
충분하다구!

아닐 거야!

신이치가
있을 리 없어!

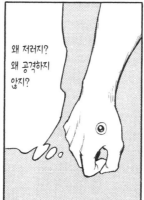

왜 저러지?
왜 공격하지
않지?

신이치…

이쪽으로 온다!
무슨 꿍꿍이가 있는 거야.
피해, 신이치!
달아나!

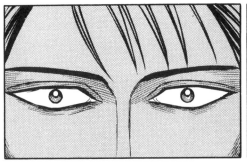

어떻게 하면 너를...
너라는 인간의
마음을...

기다려
신이치...
달아나지
말아줘...

신이치….

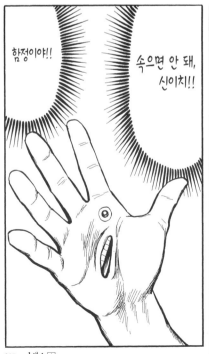

함정이야!!

속으면 안 돼,
신이치!!

엄마….

생각해 봐!
가슴의 구멍을!!

…아냐.

……

사격 중지!!

중지!!

뭔가 이상하다.

하, 하지만!

쏘지 마!! 소년이 맞을지도 모른다!

…나는 뭣 때문에
이 세상에
태어났는지.

오랫동안…
생각해 왔다….

기원을 찾아…
끝을 찾아…
생각하면서 그저…
계속 걸어왔어….

한 가지
의문이 풀리면
또 다음…

의문이
솟아올랐지….

하지만
어디까지 가든
마찬가지일지 몰라….
걷기를 그만둬도
상관 없겠지….

…….

「아아,
끝났구나.」
하고
생각할 뿐.

모든 것이
끝난다 해도…

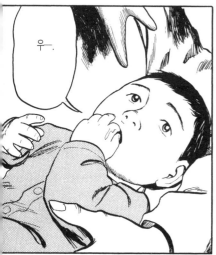

우.

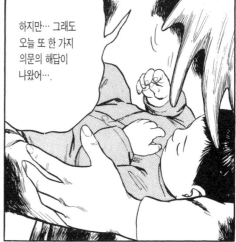

하지만… 그래도
오늘 또 한 가지
의문의 해답이
나왔어….

인간들의 손으로…
평범하게 길러줘….

신이치… 이 아이는…
…결국 쓸 수 없었어….
아무 이상도 없는
인간의 아기다….

걱정하지 마.

알았어….

음마….

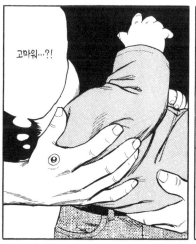

고마워…?!

고마워….

……

...지난번에
인간의 흉내를
내며...

거울 앞에서
큰소리로
웃어 봤어...

...기분이
무척이나
좋더군...

이럴 수가!!
왜지…!
싸우려고만 하면
싸울 수 있었는데!
그리고 도망칠 수도….

죽었어….

죽었나…?

으아아아아
아아아아앙.

흐에에
에에에…

으… 우우우….

…슬프니?

응아아아. 응아아아.
아아아아. 아아아아.

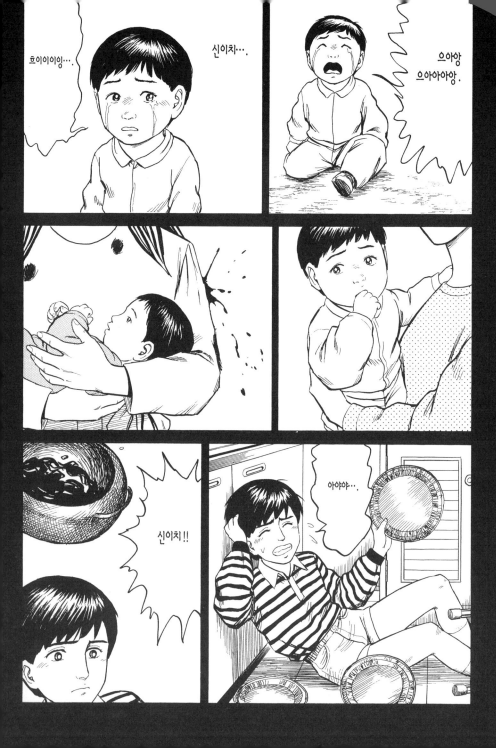

괜찮니?!
신이치!

당신의 가슴에
구멍을 뚫은 상대를
다시 한 번…

다시 한 번
만나요.

다시 한 번···

만나세요···.

심장이
멈었어···.

신이치···.

죽었어.

돌아올
거지...

다시...
돌아올 거지?

신이치!

ENTREAT

다녀왔다.

…다녀
오셨어요….

방금…
이주 슬픈 꿈을….

신이치…?

왜 그러니,
신이치?

응아아아아아!

응아 응아아
응아 응아!

아, 이봐,
학생!

제49화 대면실험

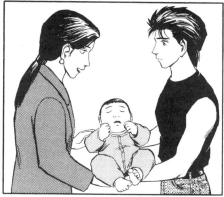

괜찮아…
걱정할 것 없어.

사토미!

어…?

아… 그래?
그렇담 됐지만….

응. 조만간
학교에 나올 수
있다나 봐.

신문이나 방송에
전혀 안 나오는 게
더 맘에 걸려….

…그 공원에서
있었던 일….

돌아온 거야!

그래도…
신이치는
돌아왔어!

그럼
점심식사는
이 방에서….

……

털썩

나도
그렇구나…

피곤해
죽겠어요.

신이치…

에— 저기
식사는 뭘로
하시겠습니까?

찰
칵

전 B정식….

A정식을
주십쇼.

직원들과 같죠….
A정식 아니면
B정식.

…뭐가
있나요?

그래.
교육상
안 좋으니까.

…나로서는
반대지만….

오늘 할
「대면실험」
말인가요?

이런 일이
세간에 알려지면
학부모들이
들고 일어나는 정도로는
안 끝날 텐데.

아, 하지만
데려왔나
본데요.

끼익

별 의미도 없는 짓을…. 내가 한 말이랑은 영 다르잖수?

개와 고양이… 원숭이니 곰이나— 새 같은 걸 끌어다 놓고…

인간일세.

그래서? 오늘 상대는 뭡니까?

내가 언제 동물이랑 말이 통한다고 했나?

드디어 본론으로 들어가는 거니까 진지하게 해.

푸우헤헤헤헤, 거 괜찮네— 우히히히히.

인간….

형사님… 사실은 저 무죄라구요. …믿어주쇼.

그런가요…. 드디어 내 말을 믿어주시는군요.

안 돼요?
이건
못 믿겠남?

푸헤헤헤헤,
이ー히히히.

입 다물고
들어가!

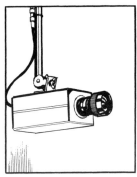
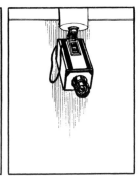

......

짜증나게….

이… 잠 안되네…

여기 수갑을 고정시키고….

철철 쿠쿠

이즈미 신이치 군. 한 번 더 부탁합니다.

딸 쿡

네.

뭘 묻건 간에
오른쪽이의 존재만은
철저히 숨겨야지.
…다시 한 번
마음을 가다듬고….

아, 예.

이번으로
끝이야.

후―
하.

드디어
자네 재주를
증명할 기회가
온 거야.

알겠지,
우라카미?

네…

이름을 부르면
들어가요.

그럼
이 방에서
기다리다가,

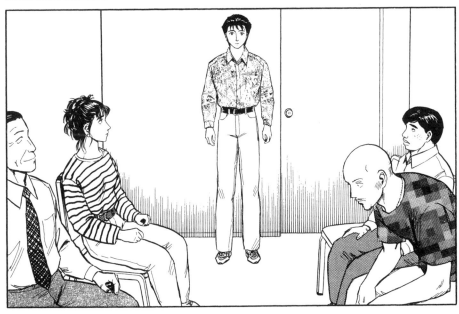

만날 사람은
다섯이야.

아마도….

알고말고!

아아, 그럼!

그게 암전히 이 방으로 들어온다고? 어이!

이봐요…. 괴물 용의자가 있단 말이야?

그리고… 「놈들의 동족」이 있거든 알려줘.

괴물한테 먹힐 바엔 목 매는 게 낫다구~!!

이 유리 튼튼한 거지?!

게다가
완전방음이고.

두꺼운
방탄유리니까.

괜찮아!
걱정 마.

예…

그럼 시작합니다.
후카미 씨
들어오세요.

쳇.

······.

예이,
예이.

우라카미!
고개 똑바로 들어!

으···음.
······. ······.
······. ······.

어때요?
후카미 씨.

마음을 굳게
닫고는 있지만···.
그에게 나와 같은 능력이
있을지 없을지는
···의문이군요.

우선 저 사람은···
패러사이트가 아닙니다.
···내가 보내는
텔레파시에
약간씩 반응하고
있어요···.

이쪽 방의 '자칭' 초능력자들은 다들 가능성이 전혀 없습니다.

후후… 미리 말해두자면,

뭐야, 저런 말은 나도 할 수 있겠네.

…어때, 우라카미?

설령 초… 아니, 그 남다른 능력이 있다고 볼 수 있는 사람은 저쪽뿐이에요.

자기는 연쇄살인범인 주제에.

하! 말은 잘해.

사기꾼이야, 사기꾼! 이 형씨한테 말해 주라구! 거짓말하면 도둑놈 된다고!

으….

아, 네.

나카기와 씨.

뽈떡

차라리 날 죽이쇼,
형사님….
몰라 묻남?
이런 끝내주는
여자를 눈앞에 두고….

왜 그래!?
우라카미!

어?
어머?

으… 으….

그만두게 해야겠어요.
더 이상 하다간
집중력이
떨어질지도….

…….

에헴.

저 자식이
X싸고
있었어….

패러사이트예요,
이 사람!!

트, 틀림
없어요!!

으히히.

으히.

헉… 헉….

기… 기다려,
아가씨.
으…히힝.

얘기가
안 되는군.

이즈미
신이치 군,
부탁합니다.

음성은 서로에게 전혀 안 들리니 염려 없네. 그 남자의 인상이 어떤가?

어떻더라… 저기….

이 사람, 자는 것 아냐?

며칠 전에는 목숨이 위험했고, 이번에는 또 「타무라 레이코」라는 패러사이트가 다가왔지.

왠지 자네는 패러사이트와 자주 부딪히네.

소용없을 텐데….

뜨끔

자네에게는 놈들을 끌어들이는 뭔가가…. 또는 자네 자신에게 놈들을 분간하는 능력이 있지 않은가?

아니요.

침착해…. 마음을 가라앉히면 괜찮아….

하지만 자네는
「쿠라모리」라는
이름을 듣고도
전혀 동요가 없어.
…17살 소년이
이토록 태연히
거짓말을 하리라고는
생각되지 않지만
그래도….

나는… 쿠라모리가
마지막으로 말한
「협력자」가 바로
자네인 것만 같은데….

경장님!
저놈이
자는데요?

뭐야?!

…닥쳐!

으…히히히.
아까 체력을
소모하는
바람에.

일어나!!

에이,
우라카미!

음냐.

어… 아직도 남았나?
이쁘장하게 생긴
도련님일세.

…?

크히히
히힉.

여장이라도 하면
되게 볼만할 텐데.

…….

…….

제 7 권에 계속

HITOSHI IWAAKI

6

寄生獣

寄生獣

6

스페셜-006

2003년 10월 25일 초판발행
2024년 2월 29일 23쇄발행

저 자: Hitoshi Iwaaki
번 역: 서현아
발 행 인: 정동훈
편 집 인: 여영아
편집책임: 이진경
편집담당: 백유진
발 행 처: (주)학산문화사

서울특별시 동작구 상도로 282 학산빌딩
편집부: 828-8973 FAX: 816-6471
영업부: 828-8986
1995년 7월 1일 등록 제3-632호
http://www.haksanpub.co.kr

개정판 ISBN 979-11-348-7202-1 07650
      ISBN 979-11-348-1789-3(세트)

값 9,000원